1936-1960

« Je venais de souffler les bougies
  du gâteau de mon neuvième
  anniversaire quand, d'un second souffle,
  je lançais mon désir secret
  à mes proches autour de la table :
  "Mon nom sera écrit en lettres de feu
  sur les Champs-Élysées[1]." »

PAGE DE GAUCHE Yves Saint Laurent dans les années 1940.

1936

Enfance à Oran

Yves Henri Donat Mathieu-Saint-Laurent naît le 1er août 1936 à Oran, en Algérie. Fils de Lucienne et de Charles Mathieu-Saint-Laurent, assureur et administrateur de sociétés, il a deux sœurs : Michèle, née en 1942, et Brigitte, née en 1945. En 1950, à Oran, le jeune garçon s'émerveille devant une représentation de *L'École des femmes* de Molière, mise en scène par Louis Jouvet. Les costumes et décors sont réalisés par Christian Bérard. Sa passion pour le théâtre ne le quittera plus.

1953

Paper dolls

Alors adolescent, Yves Saint Laurent imagine la maison de couture de ses rêves « Yves Mathieu Saint Laurent Haute Couture Place-Vendôme ». Il découpe dans les magazines de sa mère les effigies des mannequins vedettes de l'époque, tels que Bettina Ballard ou Suzy Parker, et invente pour ses « poupées de papier » des vêtements et accessoires réalisés à partir de découpages, de gouache et d'encre. Il va jusqu'à rédiger des invitations et des programmes pour des défilés imaginaires, qu'il glisse sous la porte de la chambre de ses sœurs.

1953-1954

Concours du Secrétariat international de la laine

En 1953, *Paris Match* annonce le premier concours annuel de dessins de mode organisé par le Secrétariat international de la laine. Les membres du jury sont, entre autres, Christian Dior, Hubert de Givenchy et Jacques Fath. Yves Saint Laurent envoie alors trois croquis : une robe, un tailleur et un manteau. Il remporte le troisième prix de la catégorie « robes ». Grâce aux relations de son père, il rencontre Michel de Brunhoff, directeur et rédacteur en chef de *Vogue*. Ils entament alors une longue correspondance dans laquelle il lui conseille de passer son baccalauréat avant d'envisager tout projet professionnel. En septembre 1954, ce diplôme en poche, Yves Saint Laurent convainc ses parents de s'installer seul à Paris et s'inscrit à l'École de la Chambre syndicale de la couture. Deux mois plus tard, il est à nouveau candidat au concours et gagne les premier et troisième prix de la catégorie « robes ».

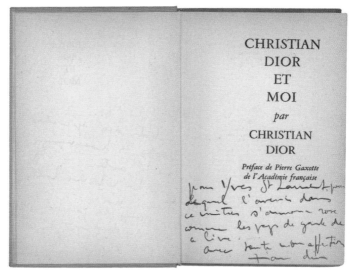

CI-DESSUS
Dédicace de Christian Dior
adressée à Yves Saint Laurent
sur la page de titre de son
autobiographie, *Christian Dior
et moi*, 1956 : « Pour Yves Saint
Laurent, pour lequel l'avenir
dans ce métier s'annonce
rose comme les pages de garde
de ce livre. Avec toute mon
affection. Christian Dior. »
CI-CONTRE
Christian Dior et Yves Saint
Laurent dans les coulisses
d'un défilé, 30 avenue
Montaigne, Paris, 1955-1957.
CI-DESSOUS
Planche originale
de *La Vilaine Lulu*, 1956.

1955
Débuts chez Dior

À l'été 1955, Yves Saint Laurent envoie une cinquantaine de croquis à Michel de Brunhoff. Ce dernier est frappé par leur ressemblance avec ceux de Christian Dior, aussi décide-t-il de les lui montrer. Christian Dior rencontre alors le jeune homme et l'engage sur le champ comme assistant. C'est à cette époque qu'Yves Saint Laurent rencontre Anne-Marie Muñoz qui deviendra sa plus proche collaboratrice, et Victoire Doutreleau, le mannequin vedette de l'époque avec qui il se lie d'amitié.

1956
La Vilaine Lulu

La Vilaine Lulu est une bande dessinée qui raconte les affres d'une petite fille insolente et facétieuse inspirée d'un collaborateur de chez Dior qui s'était travesti un soir de préparation de collection. Cette bande dessinée créée en 1956, tel un exutoire, est publiée en 1967 aux éditions Tchou, sur les conseils de Françoise Sagan.

1957
Le plus jeune couturier du monde

Le 24 octobre 1957, Christian Dior meurt subitement d'une crise cardiaque en Italie. Conformément au vœu exprimé par le couturier avant sa mort, le jeune Yves Saint Laurent lui succède à la tête de la plus célèbre maison de couture de l'époque. Il a seulement 21 ans.

CI-DESSUS
Croquis de recherche.
Collection haute couture
Yves Saint Laurent
pour Christian Dior,
entre 1958 et 1960.

1959

Cyrano de Bergerac

Yves Saint Laurent rencontre
la danseuse Zizi Jeanmaire
et le chorégraphe Roland Petit
en 1956 lors du « Bal des têtes »
donné par le baron Alexis de Rédé
à l'hôtel Lambert, à Paris. C'est
en 1959 qu'a lieu leur première
collaboration à l'occasion du ballet
Cyrano de Bergerac. Yves Saint Laurent
dessine les costumes de ce spectacle
joué à l'*Alhambra*.

1960

Dernière collection chez Christian Dior

La sixième et dernière collection
(automne-hiver 1960)
d'Yves Saint Laurent chez Dior
est inspirée de la mode de la rue
et de la Beat Generation.

1958

« Ligne Trapèze »

Yves Saint Laurent signe
sa première collection (printemps-
été 1958) pour la maison Dior,
intitulée « Ligne Trapèze ».
Il se détache alors du style
de Christian Dior en transformant
radicalement la silhouette.

Rencontre avec Pierre Bergé

Pierre Bergé est né le 14 novembre
1930 à l'île d'Oléron. Lycéen
à La Rochelle, il se passionne pour
la littérature. Sans baccalauréat,
il « monte » à Paris et devient courtier
en librairie. Il a la chance
de rencontrer Jean Giono et
Jean Cocteau avec qui il se lie d'amitié,
ainsi que le peintre Bernard Buffet
avec qui il va vivre pendant huit ans.
Pierre Bergé et Yves Saint Laurent
se rencontrent à l'occasion d'un dîner
organisé à la *Cloche d'or* par Marie-
Louise Bousquet, représentante de
Harper's Bazaar en France, quelques
jours après la présentation de la
collection « Trapèze ». Ce sera un
véritable coup de foudre.

Jean Cocteau et Pierre Bergé, 1958.
Photographie d'Édouard Dermit.

CI-DESSUS, À GAUCHE
Croquis de recherche pour
le modèle *Bonne Conduite*.
Collection haute couture
Yves Saint Laurent pour
Christian Dior printemps-
été 1958, «Ligne Trapèze».

CI-DESSUS, À DROITE
Croquis du costume pour
le personnage de Roxane
dans le ballet *Cyrano
de Bergerac*, 1959.

CI-CONTRE
Croquis du costume pour
le personnage de Cyrano
dans le ballet *Cyrano de
Bergerac*, 1959.

Ensemble de jour *Zouzou*

Collection haute couture Yves Saint Laurent
pour Christian Dior printemps-été 1958, « Ligne Trapèze ».
Modèle de cliente.
Ensemble de lainage gris (maison Lesur)
accessoirisé d'un petit bouquet de muguet.

Inv. HC1958E178
Photographie de Laziz Hamani

Composé d'une robe et d'une veste en lainage gris flanelle
de Lesur, ce modèle est le dernier du programme de la
collection Trapèze présentée le 30 janvier 1958. À la tête
de la maison Dior, Yves Saint Laurent renouvelle ici l'esprit
tailleur, la coupe est nette, la veste et la robe dessinent deux
trapèzes superposés, l'austérité de la flanelle est contrastée
par le brin de muguet glissé dans la poche tel un porte-
bonheur. Les plis plats de la jupe évoquent déjà les
pantalons à pinces empruntés au vestiaire masculin qui
deviendront une référence dans le répertoire du couturier.
À l'époque, il était courant d'attribuer des noms aux
modèles, ainsi, cet ensemble de jour est surnommé
Zouzou, en clin d'œil à sa petite chienne laissée à Oran.

 « Après dix ans de règne d'un new-look à la taille
corsetée, lancée en 1947 par Christian Dior, la ligne
"Trapèze" décintre la taille et triomphe[2]. »

 « L'idée la plus neuve, c'est incontestablement
Yves Saint Laurent qui l'a eue avec la robe qu'il a d'ailleurs
baptisée "robe blouse". Accrochée aux épaules,
elle tombe, souple, le corps n'y apparaît plus sous écrin
mais sous cloche[3]. »

1958

Ensemble de jour court *Chicago*

Collection haute couture Yves Saint Laurent
pour Christian Dior automne-hiver 1960.
Modèle de cliente.
Veste de cuir verni noir façonné crocodile
et bordé de vison, et jupe en laine bouclée noire.
Inv. HC1960H035
Photographie d'Alexandre Guirkinger

La dernière collection automne-hiver 1960 réalisée
par Yves Saint Laurent chez Dior s'intitule « Souplesse,
légèreté, vie ». Inspirée de la jeunesse rebelle et beatnik
de la rue, cette collection où le noir est dominant ne reçoit
pas tout à fait le même accueil que les précédentes.
Cette veste inspirée des blousons de motard est anoblie par
un cuir façonné crocodile bordé de vison et accompagnée
d'un bonnet de fourrure. En faisant entrer les « blousons
noirs » dans les salons feutrés de la maison Dior,
il crée une rupture sans précédent.

 « Ma dernière collection chez Dior a profondément
choqué le monde de la couture. (...) Toute cette inspiration
venue de la rue fut jugée très vulgaire par beaucoup de ces
gens installés sur les chaises dorées d'un salon de couture.
Elle a été pourtant la première manifestation importante
de mon style. (...) Les structures sociales étaient en train
de rompre. La rue était une nouvelle fierté, son propre chic,
et fut pour moi une source d'inspiration comme elle
allait l'être souvent ensuite[4]. »

1960

1961-1970

« Le plus beau vêtement qui puisse
habiller une femme ce sont
les bras de l'homme qu'elle aime.
Mais pour celles qui n'ont pas
eu la chance de trouver ce bonheur,
je suis là[5]. »

PAGE DE GAUCHE Maurice Hogenboom, *Yves Saint Laurent*, Paris, 1964.

1961
Création de la maison de couture

Après avoir bénéficié de plusieurs reports d'incorporation, Yves Saint Laurent est appelé sous les drapeaux pour la guerre d'Algérie le 2 septembre 1960. Chez Dior, il est remplacé par Marc Bohan. Réformé, il tombe en dépression et est transféré à l'hôpital militaire du Val-de-Grâce. Il décide alors de monter sa propre maison avec Pierre Bergé. Les financements nécessaires sont trouvés auprès d'un industriel américain d'Atlanta, J. Mack Robinson, et la maison est officiellement créée le 4 décembre 1961. Plusieurs collaborateurs de Dior prennent le risque de le suivre.

1962
Première collection
Yves Saint Laurent en son nom

Dans les salons sobrement décorés du 30 *bis* rue Spontini, les 101 modèles de la première collection (printemps-été 1962) reçoivent un accueil extraordinaire.

1963
Cinéma et music-hall

Yves Saint Laurent signe les costumes de Claudia Cardinale dans *La Panthère rose* de Blake Edwards, ainsi que les tenues de music-hall de Zizi Jeanmaire à l'occasion de la revue chorégraphiée par Roland Petit présentant notamment le tableau *Le Champagne rosé*.

1964
Premier parfum *Y*

En 1964, Yves Saint Laurent lance son premier parfum féminin, *Y.*

CI-DESSUS
Yves Saint Laurent,
11 rue Jean-Goujon, Paris,
décembre 1961.

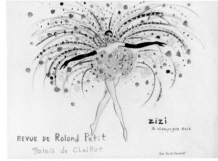

1965
Robes hommages
à Piet Mondrian

Yves Saint Laurent imagine dans
cette collection automne-hiver 1965
les robes dites *Mondrian* et *Poliakoff*.

Spectacles

En 1965, Yves Saint Laurent rencontre
le danseur Rudolf Noureev. Il réalise
par ailleurs les costumes du ballet
Notre-Dame de Paris, qui reprend, pour
certains, les lignes de la collection
« Mondrian ».

CI-DESSUS, À GAUCHE
Fiche d'atelier dite « bible »
d'une robe de cocktail.
Hommage à Piet Mondrian.
Collection haute couture
automne-hiver 1965.
CI-DESSUS, À DROITE
Gérard Pataa, *Robe de cocktail
portée par Léo. Hommage
à Piet Mondrian. Collection haute
couture automne-hiver 1965.
30 bis rue Spontini*,
Paris, juillet 1965.
CI-CONTRE
Croquis du costume
de Phoebus pour le ballet
Notre-Dame de Paris, 1965.

1966
Premier smoking

Yves Saint Laurent crée
l'une de ses pièces iconiques,
le smoking, pour la collection
automne-hiver 1966.

CI-DESSUS, À GAUCHE
Fiche d'atelier dite «bible»
du premier smoking.
Collection haute couture
automne-hiver 1966.
CI-DESSUS, À DROITE
Croquis original du premier
smoking. Collection haute
couture automne-hiver 1966.
CI-CONTRE
Gérard Pataa, *Premier smoking
porté par Ulla. Collection haute
couture automne-hiver 1966.*

1966
SAINT LAURENT
rive gauche

Le 26 septembre 1966, Yves Saint Laurent ouvre sa première boutique de prêt-à-porter SAINT LAURENT *rive gauche,* 21 rue de Tournon, à Paris. Catherine Deneuve en est la marraine. Cette nouvelle ligne va offrir la possibilité à davantage de femmes de s'habiller en Saint Laurent et d'adopter un style moderne, parfaitement en phase avec leur temps. Yves Saint Laurent revendique alors « une certaine façon de vivre, plutôt qu'une certaine façon de s'habiller[6] » et clame haut et fort « À bas le *Ritz,* vive la rue[7] ».

Cette première boutique ouvre la voie à ce qu'est devenue la mode aujourd'hui. La démarche est novatrice, tant dans la conception des modèles que dans leur chaîne de production et leur mode de distribution.

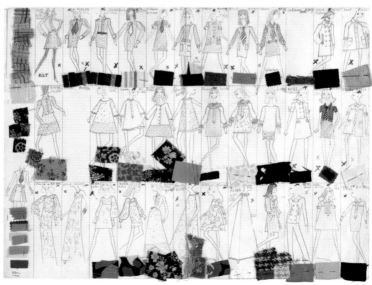

Découverte du Maroc

En septembre 1966, Yves Saint Laurent et Pierre Bergé découvrent Marrakech. Ils tombent amoureux de cette ville et décident immédiatement d'y acheter la demeure Dar el-Hanch, la « maison au serpent » située dans la médina. La rencontre avec le Maroc signe l'apparition de la couleur dans la création du couturier. Il prendra l'habitude de s'y rendre, presque systématiquement, chaque début décembre et début juin, afin d'y dessiner ses collections.

1967
Robes hommage à l'art bambara

Aux côtés de ses premiers tailleurs-pantalons à rayures tennis, Yves Saint Laurent crée une série de robes inspirées de l'art africain bambara lors de la collection printemps-été 1967.

Rencontre avec Betty Catroux

Yves Saint Laurent rencontre le mannequin Betty Catroux lors d'une soirée dans le célèbre club de l'époque, *Chez Régine*. Véritable créature de la nuit, anticonventionnelle et longiligne, elle est pour lui comme une sœur jumelle.
« On était blond pâle tous les deux, raconte Betty Catroux, les cheveux longs, maigres, habillés pareils en cuir noir. (...) depuis c'est mon meilleur ami. On a la même sensibilité, on est follement à l'aise ensemble : comme si on était du même sang[8]. »

Catherine Deneuve

L'année 1967 signe le début d'une longue collaboration entre le couturier et l'actrice Catherine Deneuve. Il crée ainsi ses costumes pour *Belle de jour,* de Luis Buñuel. En 1968, il l'habille dans *La Chamade* d'Alain Cavalier, et en 1969, dans *La Sirène du Mississippi,* de François Truffaut.

PAGE DE GAUCHE, À GAUCHE
Croquis original d'un ensemble
de soir. Hommage à l'art
bambara. Collection haute
couture printemps-été 1967.

PAGE DE GAUCHE, À DROITE
Jean-Paul Cadé, *Ensemble
de soir porté par Danielle Luquet
de Saint Germain. Hommage
à l'art bambara. Collection haute
couture printemps-été 1967.
Jardin des serres d'Auteuil,
Bois de Boulogne, Paris.*

CI-DESSUS, EN HAUT
Yves Saint Laurent et Betty
Catroux, dans les années 1980.

CI-DESSUS, À GAUCHE
Yves Saint Laurent
et Catherine Deneuve
en smoking lors du
20ᵉ anniversaire de la maison
de couture célébré au *Lido*,
Paris, 29 janvier 1982.

CI-DESSUS, À DROITE
Robe de jour de Catherine
Deneuve dans le rôle
de Séverine Serizy pour
le film *Belle de jour,* 1967.

CI-CONTRE
Croquis du costume
de Catherine Deneuve
dans le rôle de Séverine Serizy
pour le film *Belle de jour,* 1967.

CI-DESSUS, EN HAUT
Loulou de La Falaise et
Fernando Sánchez, Marrakech,
années 1970.
CI-DESSUS
Croquis d'un costume
pour Johnny Hallyday
à l'occasion de son concert au
palais des Sports, Paris, 1971.
CI-CONTRE
Croquis du costume
du tableau d'*Ouverture* de Zizi
Jeanmaire pour le spectacle
de music-hall *La Revue*, 1970.

Les « LOVE »

Tous les ans, à l'exception des années 1978 et 1993, Yves Saint Laurent dessine une carte de vœux sous forme d'affiche qu'il envoie à ses amis, ainsi qu'aux clientes, fournisseurs et collaborateurs. Entre dessins et collages, cette carte sur laquelle figure chaque année le mot « LOVE », tel un leitmotiv, est devenue un rituel de la maison.

1969
Rencontre avec Loulou de La Falaise

Loulou de La Falaise fait la connaissance d'Yves Saint Laurent et de Pierre Bergé en 1969 grâce à un styliste et ami commun, Fernando Sanchez. Sa liberté d'allure, son amour des vêtements chinés aux Puces et son don pour assembler les bijoux ont tout de suite séduit le couturier. Elle entre au studio en 1972 et sera notamment en charge des accessoires, de la maille et des tissus durant 30 ans.

1970
Spectacles

L'année 1970 est marquée par de nombreuses collaborations avec le monde du spectacle. Le couturier signe les costumes des 37 tableaux de *La Revue* pour Zizi Jeanmaire. Il crée également des costumes pour Sylvie Vartan à L'*Olympia* et l'année suivante, pour son mari de l'époque, Johnny Hallyday, pour un concert au *Palais des Sports*.

Rue de Babylone

En 1970, Yves Saint Laurent et Pierre Bergé emménagent au 55 rue de Babylone, à Paris. Ce duplex devient l'écrin de leur collection d'œuvres d'art et de mobilier.

CI-DESSUS
Carte de vœux «LOVE», 1972.
CI-DESSOUS
Vladimir Sichov, *Yves Saint Laurent et Pierre Bergé dans leur appartement*, 55 rue de Babylone, Paris, 1982.

Ensemble de bateau, premier caban

Collection haute couture printemps-été 1962.
Prototype. Atelier Georges.
Caban de lainage marine (maison Prud'homme).
Corsage et pantalon de shantung (maison Pétillaud).

Inv. HC1962E082
Photographie de Sophie Carre

Le caban fait une apparition remarquée en ouverture
du défilé printemps-été 1962. Le couturier s'inspire
de la fonctionnalité de ce vêtement de travail des marins
qu'il féminise en y ajoutant des boutons-bijoux dorés
et en l'accompagnant d'un élégant pantalon blanc
et de mules en cuir tressé. Détournant un habit utilitaire,
il l'urbanise et signe les prémices du *navy look*
qu'il reprendra dans la collection printemps-été 1966,
avec notamment des marinières et des casquettes de marin.
Le caban apparaît comme le manifeste de ce qui deviendra
le style « Saint Laurent » aux côtés du tailleur-pantalon,
du smoking, du jumpsuit ou du trench-coat, des vêtements
empruntés aux hommes qui inventent la garde-robe
de la femme moderne.

1962

Robe de cocktail,
Hommage à Piet Mondrian

Collection haute couture automne-hiver 1965.
Prototype. Atelier Blanche.
Robe d'empiècements de jersey de laine Paris Midi
et Air France (maison Racine).

Inv. HC1965H081
Photographie d'Alexandre Guirkinger

En feuilletant un livre sur le peintre Piet Mondrian offert
par sa mère, le jeune couturier entrevoit sa future collection :
« J'ai soudain compris que les robes ne devaient plus être
composées de lignes, mais de couleurs. J'ai compris que
nous devions cesser de considérer un vêtement comme
une sculpture et que nous devions, au contraire, le regarder
comme un mobile[9]. »

Yves Saint Laurent s'approprie l'œuvre du peintre abstrait
en transformant un tableau en un vêtement tridimensionnel.
Avec cette robe courte et droite parcourue de lignes
et d'aplats de couleurs primaires, Yves Saint Laurent rend
hommage à un peintre qu'il admire, ne se contentant pas
d'en faire une simple citation, il lui donne vie et mouvement.
« Mondrian c'est la pureté et l'on ne peut pas aller plus
loin dans la pureté en peinture, cette pureté qui rejoint
celle du Bauhaus. Le chef-d'œuvre du XXᵉ siècle,
c'est un Mondrian[10]. »

Dans la même collection, Yves Saint Laurent crée des
robes hommages au peintre Serge Poliakoff et clôture
son défilé par une mariée de tricot de laine et ruban de soie
ivoire. Comme un cocon qui englobe le corps, cette robe
fait référence aux poupées russes, les matriochkas.

1965

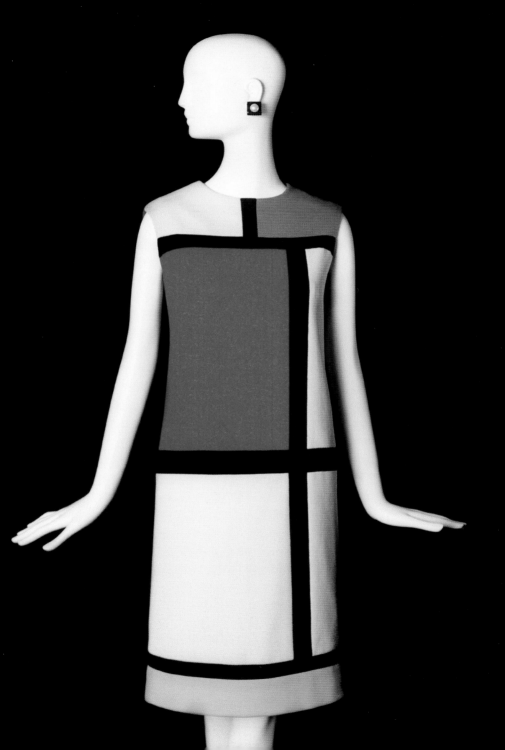

Premier smoking

Collection haute couture automne-hiver 1966.
Prototype. Atelier Mario.
Veste et pantalon de lainage grain de poudre et satin de soie
(maison Dormeuil). Blouse de batiste de coton.
Inv. HC1966H076
Photographie de Sophie Carre

Dès les années 1880, en Angleterre, les hommes, pour fumer
leurs cigares après le dîner, revêtaient une veste spéciale, la
« smoking jacket » dotée de larges revers de satin sur lesquels
les cendres glissent sans laisser de traces. Présenté par Yves Saint
Laurent lors de la collection haute couture de l'automne-hiver
1966, le smoking ne remporte pas le succès escompté auprès
de la clientèle haute couture. C'est quelques mois plus tard, dans
sa version prêt-à-porter qu'il rencontre un engouement certain.

Yves Saint Laurent féminise le smoking avec une veste longue,
une chemise en organdi blanc à jabot, un nœud lavallière, une
ceinture de satin de soie et des bottines à talon. Il devient l'apanage
des femmes émancipées, s'arrogeant le droit de porter, à l'instar
des hommes, un pantalon de soirée, transgressant ainsi les codes
traditionnels et bousculant les conventions de la séduction.
Le couturier réinterprétera cette pièce tout au long de sa carrière.

« Le plus grand changement était la découverte de mon propre
style, sans l'influence des autres. C'était le smoking et la blouse
transparente. C'est là que j'ai entamé un dialogue avec les femmes
et commencé à comprendre ce qu'est une femme moderne[11]. »

Dans la même collection, aux côtés de ce smoking, emblème
de sobriété, Yves Saint Laurent fait défiler des robes hommages
au pop art de couleurs vives et aux motifs schématiques. L'année
suivante lors de la collection printemps-été 1967, le couturier
signe son premier tailleur-pantalon.

1966

Prototype.
Robe d'organza de soie brodé de Rhodoïd,
de perles de bois et de perles de rocaille (maison Lanel).
Inv. HC1967E108
Photographie d'Alexandre Guirkinger

En janvier 1967, le couturier présente une collection
printemps-été d'inspiration africaine. Si les coupes
des robes, très longues ou très courtes, rappellent
les classiques du vestiaire féminin occidental, le travail
de broderie en matériaux non précieux tels que le bois,
le raphia ou le Rhodoïd évoque les costumes traditionnels
d'Afrique subsaharienne et bousculent les poncifs
de la haute couture. Les silhouettes font également écho
à l'art de ce continent et, plus précisément à la statuaire
des Bambaras, peuple de l'Ouest africain. Point de citation
littérale ici, Yves Saint Laurent s'inspire librement
de ces cultures dans une vision très personnelle.

En mars 1967, *Harper's Bazaar* décrit la collection
comme « une fantaisie de génie primitif – des coquillages
et des bijoux de jungle assemblés pour couvrir la poitrine
et les hanches, tressés pour dévoiler le torse[12]. »

DOUBLE PAGE SUIVANTE, À GAUCHE Croquis original de la robe de soir
dite « Bambara ». Collection haute couture printemps-été 1967.
DOUBLE PAGE SUIVANTE, À DROITE Détail de la robe de soir dite « Bambara ».
Collection haute couture printemps-été 1967.

1152
Esther
en
lizzie

broderie
toute noire

108

119

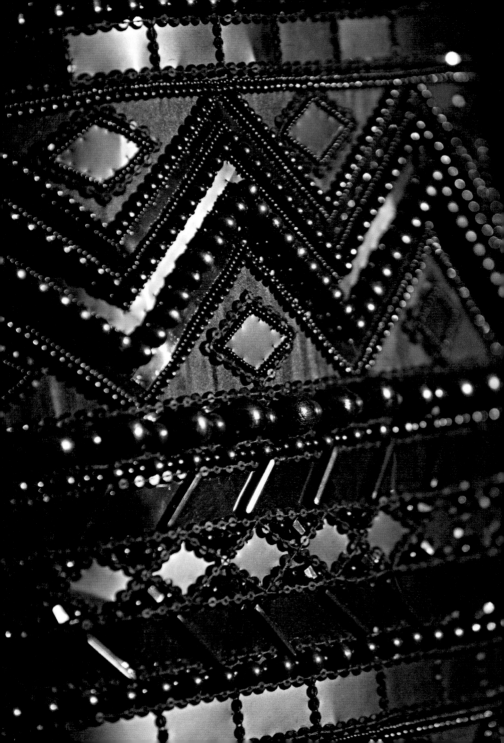

1971-1980

« Les modes passent, le style est éternel[13]. »

1971
Collection dite « Années 40 »

Inspiré par Paloma Picasso qui constituait son look à partir de vêtements chinés aux Puces, Yves Saint Laurent imagine une collection (printemps-été 1971) en référence au Paris de l'Occupation et qui fera scandale par son audace.

Pour homme

Pour marquer la sortie du parfum *Pour homme,* sa première eau de toilette pour hommes, Yves Saint Laurent choisit de poser nu pour le photographe Jeanloup Sieff. L'image déclenche un torrent de commentaires de toutes sortes. « C'était en 1971, se souvient le photographe, nous étions jeunes, beaux et intelligents ! Yves Saint Laurent lançait sa première eau de toilette et c'est lui qui avait voulu poser nu pour l'annonce publicitaire, car il voulait "choquer"[14]. »

CI-DESSUS
Fiche d'atelier dite «bible» d'une robe habillée. Collection haute couture printemps-été 1971.

CI-CONTRE
Manteau brodé de bouches. Collection haute couture printemps-été 1971. Photographie de Sophie Carre.

1972
Zizi je t'aime !

Le couturier réalise en 1972 les costumes pour la revue *Zizi, je t'aime !* au *Casino de Paris*.
À Edmonde Charles-Roux qui lui demande ce que le music-hall lui apporte, il répond : « La rapidité. Au music-hall tout est là. Pour créer un monde : trois accessoires. (...) Avoir en même temps le sens de la démesure et de la carte postale. Et puis, le music-hall, plus encore que le théâtre, c'est la vie à l'envers. Les matériaux pauvres font riches et inversement. Oublier l'habituel... Pas facile[15]. »

Andy Warhol
Le peintre Andy Warhol, rencontré en 1966, réalise plusieurs portraits du couturier à partir de Polaroid.

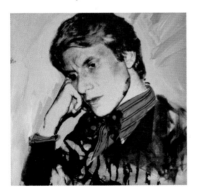

1974
5, avenue Marceau

La maison de couture déménage au 5 avenue Marceau, dans un hôtel particulier second Empire, et se rapproche ainsi des quartiers de la haute couture.

CI-DESSUS, EN HAUT
Croquis du costume d'une danseuse pour le tableau *Night and Day* pour le spectacle de music-hall *Zizi Je t'aime!*, 1972.
CI-DESSUS
Portrait d'Yves Saint Laurent par Andy Warhol, 1972.
CI-CONTRE
Claus Ohm, *Façade de la maison de couture, 5 avenue Marceau*, Paris, 1976.

CI-CONTRE, EN HAUT
Ensemble de soir porté
par Laure Daqualord.
Collection haute couture
automne-hiver 1976 dite
«Opéra-Ballets russes».
Hôtel Inter-Continental,
Paris, juillet 1976.
CI-CONTRE
Croquis de recherche
pour deux ensembles de soir.
Collection haute couture
automne-hiver 1976 dite
«Opéra-Ballets russes».
CI-DESSOUS
Ensemble de soir d'inspiration
chinoise porté par Marie
Helvin. Collection haute
couture automne-hiver 1977
dite «Chinoise et opium».
Hôtel Inter-Continental,
Paris, juillet 1977.

1976
Collection
« Opéra-Ballets russes »

Yves Saint Laurent présente pour
la première fois sa collection hors des
salons de sa propre maison à l'hôtel
Inter-Continental, rue de Castiglione.
Cette collection automne-hiver 1976
s'inspire aussi bien de la Russie
des tsars que des ballets de Diaghilev,
en accentuant la théâtralité
et la richesse des ornements.

1977
Collection
« Chinoise et opium »

Yves Saint Laurent signe une
collection (automne-hiver 1977)
inspirée de la Chine sans y être
jamais allé. Il signe alors un de ces
plus beaux voyages imaginaires.

Opium

En juillet 1977, en parallèle
de la présentation de la collection
automne-hiver dite « Chinoise et
opium », est lancé en France le parfum
avec comme accroche : « *Opium*, pour
celles qui s'adonnent à Yves Saint
Laurent. » Yves Saint Laurent imagine
le flacon, le dossier de presse, la fête de
lancement et la campagne publicitaire
orchestrée par l'agence Mafia de
Maïmé Arnodin et Denise Fayolle.
Le visuel est réalisé par Helmut Newton
et Jerry Hall en est l'égérie. Pour son
lancement aux États-Unis en 1978, une
soirée est donnée pour 1 000 invités
sur le bateau *Peking* à New York.
« Je ne voulais pas d'autre nom
pour ce parfum... C'est un parfum
qui évoque tout ce que j'aime,
le raffinement de l'Orient, la Chine
impériale, l'exotisme[16]. »

1978
Cosmétiques

En 1978, Yves Saint Laurent lance sa première ligne de maquillage et déclare : « Il fallait un visage à la femme que j'habille. »

L'Aigle à deux têtes

Le couturier crée les costumes et décors de *L'Aigle à deux têtes* de Jean Cocteau, pour l'Athénée Louis Jouvet, théâtre acquis par Pierre Bergé l'année précédente. Ce projet fait écho à un projet laissé à l'état d'esquisse lorsqu'il était enfant, alors que son père lui avait rapporté de Paris des photographies du film réalisé par Jean Cocteau.

1979
Hommage à Pablo Picasso et Serge de Diaghilev

Yves Saint Laurent s'inspire dans cette collection (automne-hiver 1979) de l'œuvre de Pablo Picasso en réinterprétant la figure de l'arlequin ainsi que les célèbres traits cubistes de l'artiste.

1980
Jardin Majorelle

Yves Saint Laurent et Pierre Bergé découvrent le jardin Majorelle en 1966, au cours de leur premier séjour à Marrakech. Ils s'en portent acquéreurs en 1980 afin de le sauver d'un projet immobilier. Ils décident d'habiter la villa de l'artiste, rebaptisée villa Oasis, et restaurent le jardin pour « ... faire du jardin Majorelle le plus beau jardin – celui que Jacques Majorelle avait pensé, envisagé. »

CI-DESSOUS, À GAUCHE
Fiche d'atelier dite « bible » d'un « taileur-Picasso ». Hommage à Pablo Picasso. Collection haute couture automne-hiver 1979.
CI-DESSOUS, À DROITE
Croquis original de la *Robe au visage*. Hommage à Pablo Picasso. Collection haute couture automne-hiver 1979.

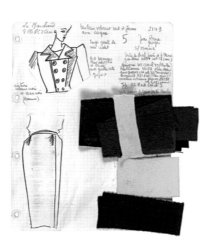

CI-CONTRE
Croquis des costumes
de la reine et du comte
de Foëhn dans l'acte I
de *L'Aigle à deux têtes*, 1978.
CI-DESSOUS
Ancien atelier de Jacques
Majorelle préservé par le
couple Bergé-Saint Laurent,
Marrakech.
Photographie de Nicolas
Mathéus.

CI-DESSUS, À GAUCHE
Croquis de recherche
pour le blason de *L'Aigle
à deux têtes*, 1978.
CI-DESSUS, À DROITE
Edwige Feuillère et Martine
Chevallier dans les rôles
de la reine et d'Édith de Berg,
dans l'acte I de *L'Aigle
à deux têtes*, 1978.

Manteau de soir

Collection haute couture printemps-été 1971.
Prototype. Atelier Jean-Pierre.
Manteau de fourrure de renard vert.

Inv. HC1971E090
Photographie d'Alexandre Guirkinger

La collection printemps-été 1971 dite « Années 40 »
ou « Libération » marque définitivement la fin de la vision
futuriste des années 1960 et ouvre la voie à l'esprit rétro des
années 1970, teinté d'un parfum de scandale. Les épaules
carrées, les manches bouffantes, les semelles compensées,
les robes raccourcies à drapé dans le biais et au décolleté
en V profond, le maquillage aguicheur sont autant de
références esthétiques au Paris de l'Occupation. Face aux
critiques d'une rare violence, Yves Saint Laurent déclare :
« Moi je préfère choquer plutôt qu'ennuyer en ressassant[17]. »
Mais rapidement la mode rétro envahit la rue et de
nombreux créateurs s'en inspirent. New York proclame
bientôt : « Old is in[18] ! »

Avec ce manteau de renard teint dans ce vert antinaturel,
quasiment porté à même la peau avec un maillot de jersey
de soie noir et accessoirisé de talons hauts à brides,
Yves Saint Laurent signe une silhouette incandescente,
en rupture totale avec les conventions bourgeoises.

o

1971

Robe de soir créée pour Jane Birkin à l'occasion du bal Proust, 1971

Robe de crêpe de soie et dentelle de guipure florale, et ceinture de satin de soie.

Inv. 2013.06.01
Photographie de Sophie Carre

À la recherche du temps perdu de Marcel Proust a profondément marqué Yves Saint Laurent : « Proust est celui qui a parlé le plus des femmes et dont la vie se rapproche un peu de la mienne[19]. » Tout comme Marcel Proust, le couturier avoue être né avec une dépression nerveuse et appartenir à la même « famille magnifique et lamentable (des nerveux) qui est le sel de la terre[20] ».
Le 2 décembre 1971, Marie-Hélène de Rothschild organise dans son château de Ferrières un bal costumé pour fêter le 100ᵉ anniversaire de la naissance de Marcel Proust. Yves Saint Laurent crée à cette occasion les robes de Nan Kempner, Hélène Rochas, Jane Birkin et Marie-Hélène de Rothschild.
    La robe de Jane Birkin reprend ici l'esprit Belle Époque des années 1900, avec une ligne souple et un jeu de volutes et de dentelles digne de la garde-robe de la comtesse Greffulhe. Yves Saint Laurent recrée l'esprit proustien et transporte les invités dans l'univers de son écrivain favori.

1971

Ensemble de soir

Collection haute couture automne-hiver 1976 dite «Opéra-Ballets russes».
Prototype. Atelier Esther.
Gilet de velours de soie (maison Léonard) fermé
par un brandebourg de passementerie (maison Denez).
Blouse de mousseline de soie lamée et imprimée (maison Abraham).
Jupe de faille de soie et empiècement velours de soie (maison Léonard).
Inv. HC1976H040
Photographie de Sophie Carre

La richesse des tissus, des couleurs, et des ornements de
cette collection évoque une Russie imaginée par le couturier,
où les tenues traditionnelles des paysannes côtoient celles
des tsars ainsi que les costumes de Léon Bakst pour les ballets
de Serge de Diaghilev.

Le couturier relance alors l'idée du fastueux dans la mode
et connaît un immense succès avec ses châles en cachemire,
ses jupons de moire, ses blouses transparentes parées
de gilets ornés de passementerie.

« C'est une collection de peintre inspirée par les odalisques
de Delacroix, les femmes d'Ingres, *La Femme à la perle* de Van Eyck
[en fait, la *Jeune Fille à la perle* de Vermeer], La Tour, Rembrandt,
les danseuses de Degas, avec leur corselet noir, mais aussi par
le Visconti de *Senso*, la guerre de Sécession, la Marlène de Sternberg.
C'est extrêmement égoïste parce que j'ai exposé, beaucoup plus
que des robes, tout ce que j'aime en peinture[21]. »

DOUBLE PAGE SUIVANTE, À GAUCHE Détail d'un ensemble de soir. Collection haute
couture automne-hiver 1976 dite «Opéra-Ballets russes». Photographie de Sophie Carre.
DOUBLE PAGE SUIVANTE, À DROITE Croquis de recherche d'un ensemble de soir.
Collection haute couture automne-hiver 1976 dite «Opéra-Ballets russes».

1976

Ensemble de soir d'inspiration chinoise

Collection haute couture automne-hiver 1977.
Prototype. Ateliers Jean-Pierre et Catherine.
Paletot de damassé de soie à motif de volutes, blouse de crêpe
de soie (maison Abraham) et pantalon de velours de soie.

Inv. HC1977H094
Photographie de Sophie Carre

« Je parviens enfin à percer le secret de la Cité impériale
d'où je vous libère, mes fantômes esthétiques, mes reines,
mes divas, mes tourbillons de fête, mes nuits d'encre
et de crêpe de Chine, mes laques de Coromandel,
mes lacs artificiels, mes jardins suspendus[22]. »

Cette collection automne-hiver 1977 intitulée
« Chinoise et opium », en hommage à la Chine rêvée
du couturier, comporte entre autres des capes, des paletots
cirés, des damassés de soie, des velours brodés, des robes
impériales et des pantalons de taffetas. Ces modèles sont
accessoirisés de bottines de daim bordées de vison,
de chapeaux coniques ou de nombreux bijoux reprenant
des motifs de la Chine impériale.

1977

1981-1989

« Un vêtement c'est tout un art de vivre.
Il vous apprend à vivre heureux.
Il peut vous libérer, vous aider à vous
trouver, à faire les gestes qui feront
de vous un être sans contraintes.
L'élégance ne serait-elle pas
l'oubli total de ce que l'on porte[23]. »

PAGE DE GAUCHE Yves Saint Laurent à son bureau, studio du 5 avenue Marceau, Paris, 1986.

1981
Robes inspirées de Henri Matisse et de Fernand Léger

Yves Saint Laurent s'inspire dans cette collection automne-hiver 1981 de deux artistes qui lui sont chers : il reprend alors la couleur et les motifs fauvistes de Henri Matisse et les traits cubistes, voire tubistes de Fernand Léger.

Marguerite Yourcenar

La poète et romancière Marguerite Yourcenar est élue à l'Académie française, au fauteuil de Roger Caillois, le 6 mars 1980. Première femme reçue sous la coupole le 22 janvier 1981, elle porte un costume d'académicienne créé par Yves Saint Laurent.
À l'approche de sa consécration, elle dira : « J'ai toujours été ennemie des uniformes, alors je porterai une robe la plus simple possible mais j'espère jolie[24]... »

1982
Les 20 ans de la maison de couture

C'est au célèbre cabaret du *Lido* qu'Yves Saint Laurent décide de fêter les 20 ans de la maison de couture. Toute la maison est invitée à un grand dîner de gala, au cours duquel le couturier reçoit The International Fashion Award du Council of Fashion Designers of America des mains de Diana Vreeland qui fut la célèbre rédactrice en chef du magazine *Vogue*.

Kouros

Yves Saint Laurent lance un parfum masculin nommé *Kouros*, inspiré par les statues de jeunes hommes de la Grèce antique. Le dossier de presse est réalisé par le couturier lui-même avec des collages, dans une harmonie de bleu et argent.

CI-DESSUS
Croquis original
d'une robe de soir inspirée
de Henri Matisse.
Collection haute couture
automne-hiver 1981.

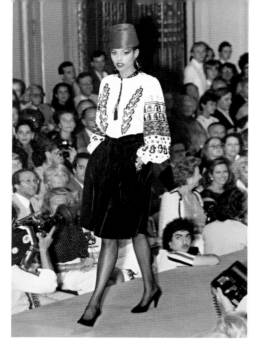

CI-DESSUS, À GAUCHE
Ensemble de soir inspiré
de Henri Matisse
porté par Edia Vairelli.
Collection haute couture
automne-hiver 1981.
Hôtel Inter-Continental,
Paris, juillet 1981.

CI-DESSUS, À DROITE
Croquis du costume
d'académicienne
de Marguerite
Yourcenar, 1981.
CI-CONTRE
Collage de recherche pour
le parfum *Kouros*, 1981.

CI-DESSUS
Extrait du dossier de presse
imaginé par Jean-Paul Goude
à l'occasion du 15ᵉ anniversaire
du parfum *Paris*.

CI-CONTRE
Yves Saint Laurent entouré
de ses mannequins à la fin
du défilé haute couture
automne-hiver 1983 lors duquel
le parfum *Paris* a été présenté
en avant-première. Hôtel Inter-
Continental, Paris, juillet 1983.

1983
Paris

En 1983, dans un flacon rond à facettes, le parfum féminin *Paris* voit le jour.
« Paris, prestigieux, qui éblouit. Tes flamboiements et tes crépitements de feu d'artifice font scintiller le monde. Pour ce nouveau parfum, c'est ton nom que je choisis parce qu'il n'y en a pas de plus beau. Parce que je t'aime. Mon Paris[25]. »
Pour le 15ᵉ anniversaire du parfum, une communication spectaculaire est orchestrée par le publicitaire Jean-Paul Goude.

Metropolitan Museum of Art

En 1983, le Costume Institute du Metropolitan Museum of Art de New York, sous la direction de Diana Vreeland, organise la première rétrospective consacrée à un couturier de son vivant : « Yves Saint Laurent – 25 Years of Design. » C'est un grand succès pour le musée américain qui reçoit plus de 1 million de visiteurs. L'exposition est ensuite présentée à travers le monde, d'abord au palais des Beaux-Arts de Pékin en 1985, puis au musée des Arts de la mode à Paris en 1986, à la galerie Tretiakov à Moscou et au musée de L'Ermitage à Leningrad (Saint-Pétersbourg) en 1987, et au Sezon Museum of Art de Tokyo en 1990.

Château Gabriel

En janvier 1983, Yves Saint Laurent et Pierre Bergé achètent le château Gabriel à Benerville-sur-Mer, en Normandie, où Marcel Proust a rencontré l'éditeur Gaston Gallimard. Jacques Grange est chargé de réaliser une décoration Belle Époque en hommage à l'écrivain. Le nom de personnages de *La Recherche* est attribué à chaque chambre. Yves Saint Laurent devient alors Charles Swann et Pierre Bergé le baron de Charlus.

1988
Collection dite « cubiste »

Dans cette collection printemps-été 1988, Yves Saint Laurent rend hommage à Georges Braque et à Juan Gris ou encore à Vincent Van Gogh.

Fête de *L'Humanité*

Le 9 septembre 1988, Yves Saint Laurent crée l'événement, en présentant 180 modèles lors de la fête de *L'Humanité*. Devant 50 000 visiteurs et militants du parti communiste, il renouvelle le genre du défilé de mode en le rendant populaire au travers d'une manifestation grand public.

1989
Bougainvillées

Parmi les tailleurs-pantalons, smokings et marinières, Yves Saint Laurent ponctue son défilé printemps-été 1989 par une série de capes colorées au motif floral de bougainvillées issus des jardins marocains.

CI-DESSUS, EN HAUT
Ensemble de soir. Hommage à Georges Braque. Collection haute couture printemps-été 1988. Photographie de Sophie Carre.

CI-DESSUS, AU MILIEU
Ensemble de soir porté par Amalia Vairelli. Hommage à Pablo Picasso. Collection haute couture printemps-été 1988. 5 avenue Marceau, Paris, janvier 1988. Polaroid du personnel de la maison.

CI-CONTRE
Défilé pour la fête de *L'Humanité*, La Courneuve, 9 septembre 1988.

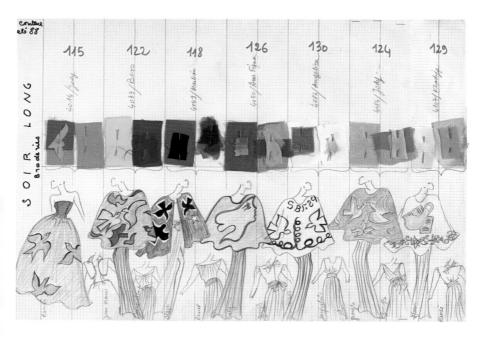

CI-DESSUS
Planche de collection
«Soir Long / Broderies».
Collection haute couture
printemps-été 1988.
CI-CONTRE
Ensemble de soir
dit «Bougainvillées»
porté par Diana Bienvenu.
Collection haute couture
printemps-été 1989.
Hôtel Inter-Continental,
Paris, janvier 1989.

Robe de soir long
inspirée de Henri Matisse

Collection haute couture automne-hiver 1981.
Prototype. Atelier Esther.
Robe de faille et de satin de soie (maison Taroni)
avec applications-patchwork de satin de soie
(maisons Gandini et Perceval) et de taffetas de soie
brodé (maison Brossin de Méré).
Inv. HC1981H143
Photographie de Sophie Carre

Yves Saint Laurent a, tout au long de sa carrière, instauré
un dialogue avec l'art en citant et réinterprétant de grands
peintres : en 1965 avec Piet Mondrian, en 1966 avec
Tom Wesselmann, ou encore en 1988 avec Georges Braque.
Lors de la collection automne-hiver 1981, c'est du peintre
Henri Matisse que le couturier s'inspire, comme en atteste
cette robe du soir aux couleurs chatoyantes et aux motifs
de *La Chambre rouge* peinte en 1908. Les arabesques
florales bleu nuit sont alors réinterprétées par le couturier
sur un velours pourpre d'une profondeur proche
du tableau initial. « Mon propos n'a pas été de me mesurer
aux maîtres, tout au plus de les approcher et de tirer
des leçons de leur génie[26]. »

Collection haute couture automne-hiver 1986.
Prototype. Atelier Alain.
Ensemble trench et jupe de satin de satin de soie
imprimé panthère (maison Abraham).
Inv. HC1986H037
Photographie de Sophie Carre

Le trench est un des modèles iconiques d'Yves Saint
Laurent, apparu dès la collection automne-hiver 1962.
Le couturier va sans cesse réinterpréter ce classique
de la garde-robe contemporaine trouvant ses racines
chez les officiers anglais qui s'en servaient pour se protéger
des intempéries.

   Le trench de la collection automne-hiver 1986, dont
l'imprimé léopard est créé par la maison Abraham, est un bel
exemple de variation de ce classique. Ce motif longtemps
resté l'apparat des pin-up devient en France le dernier chic
grâce à sa réinterprétation par Christian Dior dans
les années 1950. Yves Saint Laurent, dans les pas
de son maître, n'a de cesse de renouveler ce motif pour
le rendre indémodable et intemporel.

1986

Vestes de soir court dite
« Les Iris » et « Les Tournesols ».
Hommage à Vincent Van Gogh

Collection haute couture printemps-été 1988.
Prototypes. Atelier Jean-Pierre.
Vestes d'organza de soie brodé de paillettes, de rubans,
de perles tubulaires et de rocaille (maison Lesage).
Inv. HC1988E093 et HC1988E094
Photographie d'Alexandre Guirkinger

Pour la collection printemps-été 1988, le couturier
réalise deux vestes brodées en hommage aux *Tournesols*
et aux *Iris* de Vincent Van Gogh. On dit de ces deux vestes
qu'elles sont les plus chères de l'histoire de la haute couture,
car chacune a nécessité plus de 600 heures de broderie
réalisée par la maison Lesage. Les perles, sequins et rubans
donnent ainsi du relief et du mouvement afin de transfigurer
la touche du peintre. Des boutons « bijoux » de la maison
Desrues accentuent l'aspect précieux de ses deux pièces.
Malgré son prix très élevé, la veste hommage aux *Iris* a été
commandée en version longue pour en faire un manteau.

DOUBLE PAGE SUIVANTE, À GAUCHE Détail de la veste de soir court
dite « Les Iris ». Hommage à Vincent Van Gogh.
Collection haute couture printemps-été 1988. Photographie de Sophie Carre.
DOUBLE PAGE SUIVANTE, À DROITE Ensemble du soir porté par Jody.
Hommage à Vincent Van Gogh. Collection haute couture printemps-été 1988.
5 avenue Marceau, Paris, janvier 1988. Polaroid du personnel de la maison.

1988

93.
BESS   93   4034

PE88

Cape de faille de soie brodée de fleurs bougainvillées d'organza
de soie et de perles de rocaille (maison Lemarié). Robe et ceinture
de mousseline de soie (maisons Bianchini et Saris).

Inv. HC1989E071
Photographie de Sophie Carre

Les capes dites bougainvillées de la collection printemps-
été 1989 sont un clin d'œil aux jardins marocains luxuriants.
C'est au Maroc qu'Yves Saint Laurent développe son goût
pour la couleur. Il ose ainsi des associations colorées
audacieuses : rose fuchsia et orange, vert émeraude et bleu
lagon, rouge vif et violet profond. Les couleurs se mêlent,
s'entrechoquent, sans jamais se nuire. Tels des « jardins
à porter » sur soi, ces capes se déclinent en version brodée,
mais également avec des superbes motifs imprimés.
« Depuis 40 ans, nous habitons Marrakech.
Yves Saint Laurent et moi avons une dette de vie
et une dette artistique avec le Maroc, notre pays
d'adoption[27] » confie Pierre Bergé.

DOUBLE PAGE SUIVANTE, À GAUCHE Détail d'un ensemble de soir long dit «Bougainvillées»
Collection haute couture printemps-été 1989. Photographie de Sophie Carre.
DOUBLE PAGE SUIVANTE, À DROITE Croquis de recherche d'un ensemble de soir
dit «Bougainvillées» (détail). Collection haute couture printemps-été 1989.

1990-2008

« J'ai conscience d'avoir pendant de longues années accompli mon travail avec rigueur et exigence. Sans concessions. J'ai toujours placé au-dessus de tout le respect de ce métier qui n'est pas tout à fait un art mais qui a besoin d'un artiste pour exister. Je pense que je n'ai pas trahi l'adolescent qui montra ses premiers croquis à Christian Dior avec une foi et une conviction inébranlables. Cette foi et cette conviction ne m'ont jamais quitté. J'ai mené le combat de l'élégance et de la beauté[28]. »

PAGE DE GAUCHE André Rau , *Yves Saint Laurent*, 5 avenue Marceau, Paris, 1992.

1990
Collection « Les hommages »

Avec la collection printemps-été 1990,
dite « Les hommages », Yves Saint
Laurent témoigne de son affection
pour des artistes, des proches, des
personnalités qui lui sont chers,
comme Marylin Monroe, Coco
Chanel, Catherine Deneuve, Zizi
Jeanmaire, Christian Dior, Marcel
Proust ou encore Bernard Buffet.

1992
30 ans de la maison de couture

En 1992, la maison de couture célèbre
ses 30 ans d'existence à l'Opéra Bastille.

Exposition universelle de Séville

Yves Saint Laurent défile dans
le pavillon français de l'Exposition
universelle de Séville afin de
représenter l'excellence de la haute
couture française.

1993
Champagne

Yves Saint Laurent lance le parfum
féminin *Champagne* « pour les femmes
heureuses, gaies et légères, et qui
pétillent ». Il devient en moins de trois
mois le parfum le plus vendu en
Europe. La maison sera cependant
contrainte de le rebaptiser en France
« Yves Saint Laurent » puis « Yvresse »
en 1996 à la suite d'une procédure
judiciaire engagée par le Comité
interprofessionnel du vin de
Champagne.

1995
La Redoute

Le smoking d'Yves Saint Laurent
entre au titre d'invité de la saison dans
le catalogue de vente par
correspondance La Redoute de l'hiver
1995-1996. Aux prix de 1 400 francs la
veste et 700 francs le pantalon, contre
environ 15 000 francs l'ensemble
dans les boutiques SAINT LAURENT
rive gauche.

1998
Stade de France

Avant la finale de la Coupe du monde
de football, un défilé de plus de
300 modèles du couturier est organisé
au Stade de France devant 2 milliards
de téléspectateurs.

« Aussi étrange que cet combinaison
puisse paraître, 300 modèles exposés
aux yeux de supporters de football
incrédules, le spectacle était encore un
exemple de ce que fait Saint Laurent
depuis 40 ans : rassembler le masculin
et le féminin, la grande culture
et la culture pop, "le choc de deux
mondes"[29]. »

PAGE DE GAUCHE
Croquis original d'un ensemble
de soir long composé
de la veste « Hommage à ma
maison ». Collection haute
couture printemps-été 1990
dite « Les hommages ».

CI-DESSUS, À GAUCHE
Trois robes aux couleurs
du drapeau français.
Hommage à Georges Braque.
Défilé organisé à l'occasion
de l'Exposition universelle
de Séville, 1992.

CI-DESSUS, À DROITE
Yves Saint Laurent entouré
de ses mannequins à l'occasion
du trentième anniversaire
de la maison de couture célébré
à l'Opéra Bastille, 3 février 1992.

CI-CONTRE
Défilé rétrospectif de
300 mannequins inaugurant
la finale de la Coupe du monde
de football, Stade de France,
Saint-Denis, 12 juillet 1998.

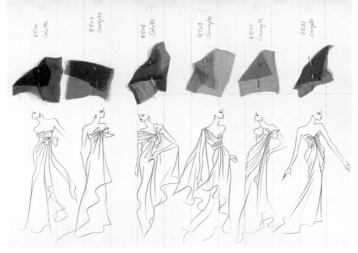

CI-DESSUS
Planche de collection.
Collection haute couture
printemps-été 2002.
CI-CONTRE
Robe de soir portée par Amalia
Vairelli. Collection haute
couture printemps-été 2002.
Dernier défilé rétrospectif,
Centre Georges-Pompidou,
Paris, 22 janvier 2002.
CI-DESSOUS
« Dialogue avec l'art »,
vue de l'exposition inaugurale
de la Fondation Pierre Bergé –
Yves Saint Laurent, Paris, 2004.
Photographie de Luc Castel.

1999
La maison change de mains

Le groupe Yves Saint Laurent est racheté par le groupe Pinault-Printemps-Redoute (aujourd'hui Kering). La maison de haute couture reste cependant dirigée par Yves Saint Laurent et Pierre Bergé.

2002
Dernier défilé

Le 7 janvier 2002, lors d'une émouvante conférence de presse, Yves Saint Laurent fait ses adieux à la haute couture et annonce la fermeture de la maison. Quelques jours plus tard, le 22 janvier, il présente au Centre Georges-Pompidou son dernier défilé sous la forme d'une rétrospective de ses 40 ans de carrière. Plus de 300 modèles « iconiques » sont présentés, ainsi que quelques créations de l'ultime collection printemps-été 2002.

Fondation Pierre Bergé – Yves Saint Laurent

Créée à la fermeture de la maison de couture, la Fondation Pierre Bergé – Yves Saint Laurent, reconnue d'utilité publique, s'est fixé trois missions : la conservation et le rayonnement de l'œuvre d'Yves Saint Laurent, et le soutien à des activités culturelles.

2004
Dialogue avec l'art

Les espaces d'exposition de la fondation ouvrent leurs portes au public dans l'ancienne maison de couture. L'exposition « Dialogue avec l'art » inaugure une longue série d'expositions dédiées aussi bien au couturier qu'à la peinture, aux arts décoratifs ou à la photographie.

2007
Légion d'honneur

Yves Saint Laurent est élevé au rang de grand officier de la Légion d'honneur par le président de la République française, Nicolas Sarkozy.

2008
Décès

Le 1er juin 2008, Yves Saint Laurent décède à son domicile parisien à l'âge de 71 ans. Ses cendres sont dispersées dans le jardin de sa demeure marocaine, la villa Oasis, et un mémorial est édifié dans le jardin Majorelle.

CI-DESSOUS
Pierre Thoretton,
Mémorial Yves Saint Laurent,
jardin Majorelle, Marrakech.

Veste de soir
dite « Hommage à ma maison »

Collection haute couture printemps-été 1990.
Prototype. Atelier Georges.
Veste courte d'organza de soie (maison Abraham)
brodé de filés métalliques dorés et de fils de soie,
de paillettes, de pampilles et de strass (maison Lesage).

Inv. HC1990E113
Photographie d'Alexandre Guirkinger

« Un jour, Yves Saint Laurent appelle François Lesage :
"Venez voir." Il accourt. Saint Laurent lui montre le reflet
du lustre en cristal et du ciel de Paris, dans le miroir (…),
et lui dit : "Je voudrais ça." M. Lesage revient avec trois
versions, les lumières du matin, du midi et du soir.
Saint Laurent s'exclame : "C'est merveilleux ! On va
toutes les faire." À raison de 350 heures de broderie
pour chaque pièce[30]… » Un seul modèle sera finalement
réalisé. Véritable prouesse, il porte le nom poétique
d'*Hommage à ma maison.*

1990

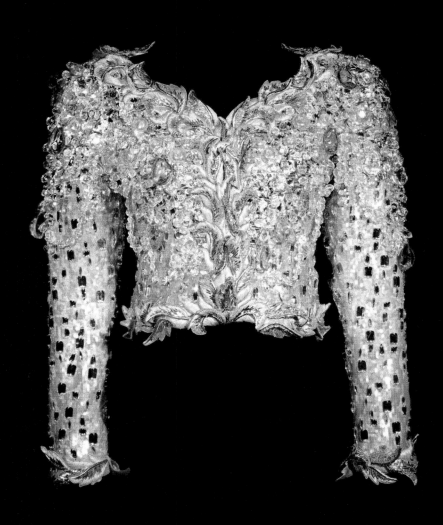

Ensemble de soir long

Collection haute couture automne-hiver 1990.
Prototype. Atelier Jean-Pierre et Jacqueline.
Manteau de plumes de faisan et de nandou (maison Lemarié),
robe de mousseline imprimée tigre (maison Abraham).
Inv. HC1990H082
Photographie d'Alexandre Guirkinger

L'inspiration animalière est récurrente chez Yves Saint
Laurent : plumes flamboyantes de coq, d'autruche,
d'oiseau de paradis, fourrures colorées, cuirs variés parent
de nombreuses tenues. Le couturier joue également
avec les trompe-l'œil d'imprimés ou de broderies qui imitent
la fourrure, le cuir de crocodile ou les écailles de serpent
ou de poisson comme une pointe de sauvagerie dans l'univers
policé de la haute couture. Cet ensemble du soir composé
d'un manteau recouvert de plumes est le fruit d'une
demande du couturier au plumassier Lemarié : « Je voudrais
un manteau de plumes qui ressemble à un lion. » Plus de
3 000 plumes de faisan, de vautour et de nandou sont alors
teintes et cousues une à une sur un organza très léger.

1990

Robe de soir long

Collection haute couture printemps-été 2002.
Prototype. Atelier Georgette.
Robe de mousseline de soie (maison Bianchini).

Inv. HC2002E031
Photographie d'Alexandre Guirkinger

Pour son dernier défilé, Yves Saint Laurent n'a créé
que quelques nouveaux modèles dont une série de robes
de mousseline aériennes qui semblent ne tenir qu'à un fil.
Tel un point d'orgue à son œuvre, cette robe est le symbole
de l'épure, de la beauté de la couleur et l'évanescence
de la mousseline. Elle illustre la perfection de l'architecture
liquide du vêtement.

« Quand je travaille, je pense avant tout à épurer
de plus en plus. Peut-être qu'il ne va plus rien rester à la fin...
Je voudrais atteindre ce degré où l'on peut dire :
ça n'est rien et c'est tout. »

2002

Dans les coulisses

Plus de 200 personnes œuvrent avec passion à chaque collection, dans un véritable esprit de famille. Le cœur de la maison bat autour du studio situé au 1er étage. C'est là qu'Yves Saint Laurent travaille avec une équipe de six ou sept collaborateurs, composée notamment d'Anne-Marie Muñoz, Loulou de La Falaise et de plusieurs assistants, dans un espace sobre et lumineux. Les ateliers se divisent entre le « flou » (en charge de la réalisation des pièces fluides comme les robes ou les blouses) et le « tailleur » (en charge de la réalisation des pièces plus structurées comme les tailleurs ou les smokings) auquel s'ajoutent un atelier « chapeaux » et un atelier « chaussures ». La cabine des mannequins, ainsi que les services de manutention, d'emballage, de vente, de presse et de direction, composent cette « ruche » au rythme effréné.

Le processus de création

Du croquis au vêtement définitif, le processus de création d'une collection se compose de plusieurs étapes qui s'enchaînent pendant le mois et demi avant sa présentation. L'année s'organise autour de deux collections haute couture : la collection printemps-été est présentée en janvier et celle d'automne-hiver en juillet.

L'histoire d'une collection commence généralement au Maroc où Yves Saint Laurent se retire chaque première quinzaine de décembre et de juin. Des feuilles de papier et un crayon Staedtler 2B lui suffisent pour dessiner la collection à une vitesse prodigieuse, il produit plusieurs centaines de dessins en quelques jours.

De retour à Paris, le couturier et Anne-Marie Muñoz, la directrice du studio, rassemblent les premiers d'atelier, tous impatients de découvrir la nouvelle collection. Sur les centaines de croquis, certains seront sélectionnés, d'autres non. Les dessins non retenus seront archivés en tant que « croquis de recherche ». Chaque premier d'atelier repart donc de ce rendez-vous avec ses trésors qu'il lui faudra révéler.

Quelques semaines avant la présentation du défilé, la réalisation des modèles débute par la création de la toile. Les tissus employés pour la haute couture étant très précieux, on ne se risque pas à les couper avant d'avoir décidé des moindres détails sur cette toile, telle une maquette du modèle en tissu de coton blanc. Dans chaque atelier, le dessin passe en trois dimensions : d'abord travaillée sur un mannequin de couture, la toile est montée, rectifiée, jusqu'à ce qu'elle traduise l'intention première du couturier. Les toiles sont ensuite présentées à Yves Saint Laurent sur un « mannequin-cabine ». Ces jeunes femmes travaillent au quotidien pour la maison – on parle de « pose couture » –, elles sont appelées dans les ateliers et au studio, et certaines d'entre elles sont sélectionnées pour défiler sur le podium lors du grand défilé haute couture. Le mannequin vivant est indispensable pour juger du mouvement du vêtement.

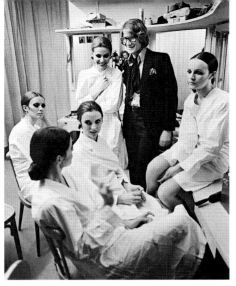

CI-DESSUS
Yves Saint Laurent entouré
des mannequins de la collection
haute couture printemps-été 1969,
salons d'essayage du 30 bis
rue Spontini, Paris, janvier 1969.
CI-CONTRE
Yves Saint Laurent et Gustav
Zumsteg, de la maison Abraham,
choisissant les tissus d'une
collection, studio du 30 bis
rue Spontini, Paris, 1971.

Dans le studio lumineux, les toiles sont étudiées une à une, sous l'œil aiguisé d'Yves Saint Laurent dans le reflet du grand miroir. Si le modèle lui convient, il l'accepte, dans le cas contraire, le modèle est retravaillé et un second essayage est organisé. Il arrive que le modèle soit abandonné.

Une fois la toile mise au point, il s'agit de choisir les tissus qui ont été commandés bien en amont. Différents critères sont alors pris en compte dans cette sélection : le poids, le tombé, la couleur, le motif, etc. Les détails tels que broderies, boutons ou autres garnitures sont décidés lors de cette étape. Toutes les informations concernant le vêtement sont consignées au fur et à mesure sur des fiches d'atelier appelées « bibles », ce sont des vraies fiches d'identité qui répertorient fournisseurs, accessoires, tissus...

La toile est alors démontée par le chef d'atelier afin de constituer le patron, qui lui-même permet de couper le modèle dans les tissus définitifs. Les morceaux sont ensuite assemblés, « montés », par une première main qualifiée, aidée d'une seconde main. Puis, le modèle est présenté à Yves Saint Laurent pour un ou plusieurs essayages, jusqu'au moment où il sera considéré comme parfait.

Une autre fiche, dite de manutention ou de production, fait état de la provenance du tissu et des garnitures, des métrages utilisés et du nombre d'heures nécessaires à la réalisation du modèle. C'est à partir de cette fiche qu'est fixé le prix du vêtement.

Le modèle définitif est livré quelques jours, voire même quelques heures avant le défilé. Il doit être alors accessoirisé. Loulou de La Falaise et son équipe proposent dans les salons les chapeaux, gants, chaussures et bijoux, réalisés pour la plupart par des fournisseurs extérieurs selon le thème de la collection.

Les modèles sont consignés par typologies (« Tailleurs », « Soir Court » « Soir Long », « Smokings »...) sur des planches de collections qui permettent au couturier d'avoir une vision d'ensemble de la collection et d'organiser l'ordre de passage des modèles en amont du défilé.

Des cartons d'invitation sont envoyés aux clientes, acheteurs, journalistes et amis. Le jour du défilé, le nom de chaque invité ainsi qu'un programme de collection, avec présentation et description des modèles, sont posés sur les chaises disposées autour du podium. Initialement présentées sobrement dans la maison de couture et en silence, avec l'annonce par la « voix » (personne située au début du podium) de l'ordre de passage, les collections défilent à partir de 1976 dans le grand salon de l'hôtel Inter-Continental, en musique, avec un goût pour la mise en scène et le spectaculaire.

Dès le lendemain, les clientes sont reçues dans les salons de réception de la maison de couture afin de commander les modèles de leur choix auprès de leur vendeuse attitrée qui suit les deux voire trois essayages nécessaires avec le premier ou la première d'atelier avant la livraison définitive du modèle sur mesure. Pour les clientes les plus fidèles, un mannequin de couturière est même créé à leurs mensurations.

CI-CONTRE ET CI-DESSOUS
Yves Saint Laurent lors
de la préparation
d'une collection, studio
du 5 avenue Marceau,
Paris, 1986.

De la maison de couture au musée

« Vous trouvez important de passer à la postérité ?
– Oui, j'aimerais que dans cent ans on étudie mes robes, mes dessins. »
(Yves Saint Laurent, 1992)

À ce jour, les collections du musée, propriétés de la Fondation Pierre Bergé –
Yves Saint Laurent, n'ont pas d'équivalent dans le milieu international de la haute
couture. Véritable pionnier, Yves Saint Laurent est le seul créateur de sa
génération qui a archivé systématiquement son œuvre depuis la création
de sa maison de couture. Le patrimoine conservé par la Fondation est un trésor
unique qui donne à voir la genèse et la vie des tenues. Il permet également
de restituer au public l'intégralité du processus de création d'un vêtement
et de replacer ce dernier dans son contexte historique.

La création de deux musées Yves Saint Laurent, à Paris et à Marrakech,
est donc le fruit d'une volonté pionnière du couturier et d'un long processus
de patrimonialisation de son œuvre.

Yves Saint Laurent conserva une sélection de prototypes dès 1964 pour
chacune de ses collections. Le prototype est le modèle dessiné par le couturier,
conçu par les ateliers sous sa direction et présenté lors du défilé. Il se distingue
du vêtement de clientes, réalisé à leurs mensurations et selon leurs désirs,
dans les semaines qui suivent le défilé. Certains prototypes sont alors conservés
avec leurs accessoires (bijoux, chaussures, gants, chapeaux, etc.). L'ensemble
des croquis et documents liés au processus de création de chaque collection
est également précieusement archivé, il en va de même pour les photographies,
les articles de presse et les objets qui témoignent de la vie de la maison.

En 1981, Hector Pascual, décorateur et costumier de théâtre, qu'Yves Saint
Laurent rencontre grâce à Roland Petit, devient responsable de ces archives.

Dès 1982, la mention « M » puis « Musée » apparaît sur les fiches
d'atelier à côté de chaque pièce choisie par Yves Saint Laurent. Le processus
de conservation se systématise et les vêtements sélectionnés sont alors
retirés du circuit commercial.

L'année 1983 marque un tournant, puisque le couturier fait son entrée
au Metropolitan Museum of Art, à New York, à l'invitation de Diana Vreeland,
ancienne rédactrice en chef des magazines *Harper's Bazaar* puis *Vogue*,
alors consultante du musée, faisant de lui le premier créateur de mode exposé
dans une institution muséale de son vivant.

En 1997, une nouvelle étape est franchie avec la création de l'Association
pour le rayonnement de l'œuvre d'Yves Saint Laurent, dont les locaux sont
situés à La Villette. De véritables espaces de conservation dignes des musées
sont aménagés afin de préserver les modèles dans des conditions idéales.
Un espace de documentation est mis à disposition des étudiants et
des chercheurs, et un espace d'exposition est ouvert au public.

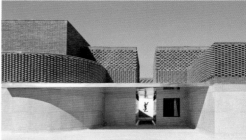

CI-DESSUS
Façade du musée YVES SAINT LAURENT
marrakech, rue Yves-Saint-Laurent, Marrakech.
Photographie de Nicolas Mathéus.

Dans les coulisses

90

Le 7 janvier 2002, Yves Saint Laurent annonce lors d'une conférence
de presse qu'il met un terme à sa carrière. La maison de couture se transforme
et devient la Fondation Pierre Bergé – Yves Saint Laurent. Reconnue d'utilité
publique le 5 décembre 2002, elle ouvre ses portes dans le bâtiment de l'ancienne
maison de couture, après d'importants travaux de réhabilitation, le 10 mars 2004.

Sa principale mission est d'assurer la conservation et le rayonnement
de l'œuvre d'Yves Saint Laurent. Des réserves aux conditions muséales sont
aménagées dans les espaces où se trouvaient autrefois les ateliers. Les anciens
salons de réception des clientes haute couture sont transformés en espaces
d'exposition où sont présentées, à partir de 2004, des expositions de mode,
de peinture, de photographie, d'arts décoratifs, etc., toujours liées à l'univers
d'Yves Saint Laurent et de Pierre Bergé.

L'année 2017 marque un nouveau jalon dans le processus de muséalisation
avec la création de deux musées consacrés au couturier, l'un à Paris, dans
la maison de couture historique, et l'autre à Marrakech, à deux pas du jardin
Majorelle. Cette étape est accompagnée d'un changement pour le statut
des collections : le Musée Yves Saint Laurent Paris, en charge de la conservation
des collections, obtient l'appellation « musée de France ». Les œuvres sont
désormais protégées au titre d'inaliénabilité et d'imprescriptibilité, principes
inscrits comme fondamentaux dans la loi musée.

Conscients de la nécessité de préserver l'œuvre d'un auteur et d'une maison,
Pierre Bergé et Yves Saint Laurent ont donc très tôt, et avant tous, systématisé
la conservation des créations. Le Musée Yves Saint Laurent Paris s'annonce
comme un musée précurseur, tant en raison de son ancienne mission
qu'il prolonge que de la nouvelle, qu'il invente.

Les trésors cachés du musée

Le fonds du musée est composé d'objets divers qui se rapportent à la vie et à l'œuvre d'Yves Saint Laurent et de sa maison de couture. Les trésors conservés par Pierre Bergé et Yves Saint Laurent sont préservés selon des normes muséales, dans des Compactus® (rayonnages modulaires mobiles) avec des conditions climatiques contrôlées (18 degrés Celsius, 50-55 % d'hygrométrie). Une équipe dédiée à la conservation a été constituée au fil des années avec pour missions principales de conserver, étudier, inventorier, enrichir et mettre en valeur les collections.

Arts graphiques

Plus de 20 000 œuvres liées au processus de création des modèles haute couture constituent le fonds d'arts graphiques. Le musée conserve un ensemble de 8 500 croquis originaux, 9 500 fiches d'atelier appelées « bibles » et 1 300 planches de collection, mais également 2 600 dessins de costumes ou de décors réalisés pour le théâtre, le ballet, le cinéma, le music-hall ou pour des événements divers.

CI-CONTRE
Six robes de cocktail.
De gauche à droite : deux robes hommage à Serge Poliakoff et quatre robes hommage à Piet Mondrian.
Collection haute couture automne-hiver 1965.
Photographie de Sophie Carre.

CI-CONTRE
Réserves accessoires du Musée Yves Saint Laurent Paris,
5 avenue Marceau, Paris, 2012. Photographie de Luc Castel.

Textiles

La collection du musée compte à ce jour plus de 7 000 pièces de haute couture.
Le noyau de ce fonds est enrichi d'acquisitions régulières ou de donations.
Ce fonds couvre l'intégralité des collections haute couture présentées par
Yves Saint Laurent entre 1962 et 2002. Plusieurs centaines de tenues issues
des collections de prêt-à-porter SAINT LAURENT *rive gauche* sont également
conservées, ainsi que certains costumes de scène.

Accessoires

Les 8 500 accessoires de haute couture ont été collectés en même temps
que les vêtements et rassemblent bijoux, écharpes, chapeaux, coiffes, gants,
chaussures, sacs ou fleurs qui permettent de restituer l'intégralité d'un modèle.

Photographies d'arts

Plus de 1 000 tirages de photographes qui comptent parmi les plus prestigieux
du XXᵉ siècle sont précieusement conservés : Irving Penn, Richard Avedon,
Helmut Newton, David Seidner, Arthur Elgort, Jeanloup Sieff ou Marc Riboud.

Fonds documentaire

Le fonds documentaire comprend les toiles de vêtements, patrons,
mannequins de clientes, échantillons, plateaux de boutons, bois et sparteries
(formes à chapeaux), fiches de manutention, livres de ventes aux clientes
(par modèle ou par cliente), documentation, photographies, ainsi que des
archives sonores et audiovisuelles. En outre, les correspondances du couturier
ainsi que sa bibliothèque enrichissent ce fonds inestimable.

Œuvres diverses

Le musée conserve les œuvres de jeunesse du couturier comme les 11 *Paper dolls* et leurs garde-robes, quelques peintures et livres illustrés. S'ajoutent également certaines œuvres annexes à sa création haute couture telles les cartes de vœux « Love » et leurs dessins préparatoires au format d'affiche et la quarantaine de planches originales de la bande dessinée *La Vilaine Lulu* créée en 1956.

Peintures

Le musée possède des portraits célèbres du couturier comme celui réalisé par Bernard Buffet en 1958 ou ceux peints par Andy Warhol en 1972.

CI-DESSOUS
Réserves textiles du Musée
Yves Saint Laurent Paris,
5 avenue Marceau, Paris, 2008.
Photographie d'Alexandre Guirkinger.

Notes

1. *Yves Saint Laurent: 25 Years of Design*, New York, Metropolitan Museum of Art, 14 décembre 1983 – 2 septembre 1984, New York, Clarkson N. Potter, Inc., 1983, p. 15.

2. Eugenia Sheppard, *Herald Tribune*, 31 janvier 1958.

3. « Yves Saint Laurent le nouvel enfant triste » dans *L'Express*, 6 février 1958.

4. *Yves Saint Laurent: 25 Years of Design*, *op. cit.*, p. 20.

5. Note manuscrite d'Yves Saint Laurent, s. d., Musée Yves Saint Laurent Paris.

6. Claude Berthod, interview d'Yves Saint Laurent, Dim Dam Dom, 10 mars 1968.

7. Patrick Thévenon, « Le couturier qui a pensé aux femmes d'aujourd'hui », *Candide*, 15 août 1965.

8. Ouvrage collectif, *Yves Saint Laurent - Forty Years of Creation 1958-1998*, New York, International Festival of Fashion Photography, 1998, p. 112.

9. Patrick Thévenon, « Le couturier qui a pensé aux femmes d'aujourd'hui », *op. cit.*

10. Cité dans Laurence Benaïm, *Yves Saint Laurent*, Paris, Grasset, 2002.

11. Note manuscrite d'Yves Saint Laurent, s. d., Musée Yves Saint Laurent Paris.

12. « L'Africaine : Saint Laurent », *Harper's Bazaar* (États-Unis), 1ᵉʳ mars 1967.

13. Note manuscrite d'Yves Saint Laurent, s. d., Musée Yves Saint Laurent Paris.

14. « Le 7ᵉ Festival International de la photo de mode s'ouvre sur les 40 ans d'Yves Saint Laurent », *Photo* (France), 1ᵉʳ avril 1998.

15. *Les Lettres françaises*, 8 mars 1972.

16. André Léon Tallet, « YSL on Opium », *Women's Wear Daily*, 18 septembre 1978.

17. *Elle* (France), 1ᵉʳ mars 1971.

18. Fiona Levis, *Yves Saint Laurent, l'homme couleur de temps*, Paris, Éditions du Rocher, 2008, p. 132.

19. Gonzague Saint Bris, « Yves Saint Laurent ou l'honneur de souffrir », *Femme* (France), 1ᵉʳ mars 1992.

20. Marcel Proust, *À la recherche du temps perdu. Le côté de Guermantes*, Paris, Gallimard, 1920-1921.

21. « Yves Saint Laurent ou le regard du peintre », *Vogue* (Paris), 1ᵉʳ septembre 1976.

22. Note manuscrite d'Yves Saint Laurent, s. d., Musée Yves Saint Laurent Paris.

23. Note manuscrite d'Yves Saint Laurent, s. d., Musée Yves Saint Laurent Paris.

24. http://museeyourcenar.chez.com/l_academie_francaise_034.htm

25. Note manuscrite d'Yves Saint Laurent, 1983, Musée Yves Saint Laurent Paris.

26. *Yves Saint Laurent. Dialogue avec l'art*, Paris, Fondation Pierre Bergé – Yves Saint Laurent, 10 mars – 31 octobre 2004, préface de Dominique Païni, Paris, Fondation Pierre Bergé – Yves Saint Laurent, 2004, p. 9.

27. Interview de Pierre Bergé à l'AFP à l'occasion de l'ouverture de l'exposition « Une passion marocaine », Fondation Pierre Bergé – Yves Saint Laurent, (14 mars – 31 août 2008).

28. Discours d'adieu d'Yves Saint Laurent à la haute couture, 7 janvier 2002 , 5, avenue Marceau, Paris.

29. Pierre Bergé le 12 juillet 1998 dans *Time Magazine*.

30. *L'Officiel de la mode*, mars 1990.

Copyrights et crédits photographiques

Musée Yves Saint Laurent Paris

Directeur
Olivier Flaviano

Conservatrice du patrimoine, directrice des collections
Aurélie Samuel

Textes, recherches iconographiques
et coordination éditoriale
Lola Fournier
Adjointe à la directrice des collections

Avec la contribution de l'équipe de la conservation :
**Alice Coulon-Saillard, Domitille Éblé,
Laurence Neveu et Leslie Veyrat**

Réunion des musées nationaux – Grand Palais

Direction des éditions
Sophie Laporte

Direction éditoriale
Séverine Cuzin-Schulte

Édition
Elsa Belaieff

Conception graphique
Bernard Lagacé et Agnès Rousseaux

Relecture
Emmanuelle Graffin

Fabrication
Isabelle Loric

Photogravure
Apex Graphic, Paris

Cet ouvrage a été composé en Quarto
sur Arctic Volume White 130 g/m², www.arcticpaper.com,
et achevé d'imprimer en septembre 2017 sur les presses
de D'Auria, Sant'Egidio alla Vibrata, Italie.

Dépôt légal
Septembre 2017

ISBN 978-2-7118-7056-1
GK 397056

3ᵉ DE COUVERTURE Acrostiche manuscrit d'Yves Saint Laurent.